À Roger Ribes, l'exemplaire

© 1977, l'école des loisirs, Paris
Loi numéro 49 956 du 16 juillet 1949 sur les publications
destinées à la jeunesse : avril 1983
Dépôt légal : novembre 2013
Imprimé en France par Pollina à Luçon - L66811
ISBN 978-2-211-21509-1

Philippe Dumas

La

petite

géante

l'école des loisirs

11, rue de Sèvres, Paris 6ᵉ

Il était une fois deux enfants d'une sagesse
impressionnante, qui ne cassaient jamais rien,
jamais ne disaient de gros mots.

La petite fille avait les cheveux noirs et le petit garçon les cheveux blonds.

Tous les deux avaient les yeux en verre et le corps en plastique.

Ils vivaient chez une géante qui les aimait beaucoup…

… mais qui parfois les rudoyait un peu.

Le plus dur, c'est qu'elle ne leur donnait rien à manger : elle faisait toujours seulement semblant.

Le soir, la géante se voyait elle-même prise en main
par d'encore plus grands géants, qui la mettaient au lit.

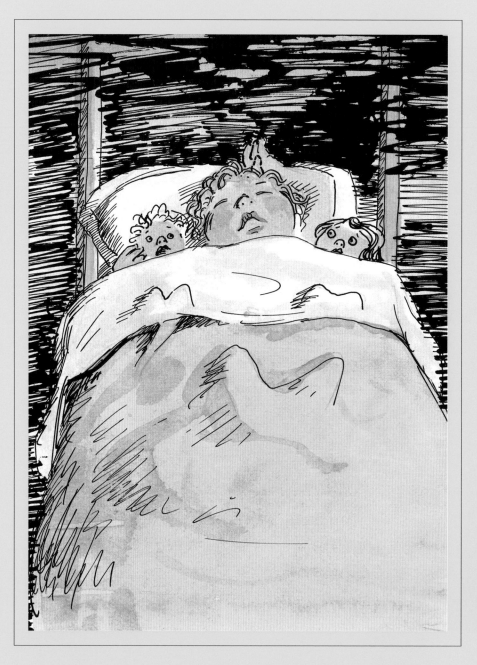

Les deux enfants couchaient à côté d'elle, l'un à droite
et l'autre à gauche, ou vice versa selon l'humeur.

Or à minuit intervenait un phénomène prodigieux :
à la faveur du silence et des ténèbres, la jeune géante
rapetissait et reprenait une taille normale.

Elle réveillait alors ses deux amis, et tous trois descendaient à pas de loup.

Après un petit souper dans la cuisine,
on secouait le chien, et hop !…

Voilà tout le monde parti pour une bonne escapade.

Quel plaisir de courir dans le vent de la nuit !

On reprenait son souffle en repérant l'étoile Polaire.

Les jeux des trois compères
n'étaient pas absolument silencieux…

… au grand dam du vieux hibou solitaire.

Les nuits chaudes, on se mettait à l'eau sans hésiter.

La mare était grande, c'était le rendez-vous
des colverts et des grenouilles musiciennes.

Parfois la petite bande gagnait l'île en pirogue.

Il s'agissait d'y allumer des feux
à l'intention des papillons perdus.

Tout cela finissait en général chez les lapins, qui
sont des gens aimables et qui vous servent du thé
ou même une bonne soupe à l'oignon.

Malheureusement chez les lapins fréquente aussi
le marchand de sable, personnage ennuyeux comme
la pluie. Ses histoires font bâiller.

De toute façon, le soleil va se lever.
Il faut rentrer à la maison.

Sur le chemin du retour s'éveillent
toutes sortes de monstres préhistoriques.

Vite ! Vite ! Dépêchons !… Les poules sortent déjà…

Le coq va pousser son cri et réveiller tout le monde…

En plus, il y a la petite géante qui est
en train de reprendre sa taille de géante !

On se fourre au lit en quatrième vitesse.

Il était temps ! Les grands géants font leur entrée
dans la chambre en souhaitant le bonjour.